ANDREA JOURDAN

Complètement TAJINES

LES ÉDITIONS DE L'HOMME
Une société de Québecor Média

Design graphique : Josée Amyotte
Infographie : Chantal Landry
Révision : Lucie Desaulniers
Correction : Sylvie Massariol
Photographies : Philip Jourdan
Collaboration à la rédaction : Francesca Jourdan

DISTRIBUTEUR EXCLUSIF :
Pour le Canada et les États-Unis :
MESSAGERIES ADP inc.*
2315, rue de la Province
Longueuil, Québec J4G 1G4
Téléphone : 450-640-1237
Télécopieur : 450-674-6237
Internet : www.messageries-adp.com
* filiale du Groupe Sogides inc.,
  filiale de Québecor Média inc.

Suivez-nous sur le Web

Consultez nos sites Internet et inscrivez-vous
à l'infolettre pour rester informé en tout
temps de nos publications et de nos concours
en ligne. Et croisez aussi vos auteurs préférés
et notre équipe sur nos blogues !

EDITIONS-HOMME.COM
EDITIONS-JOUR.COM
EDITIONS-PETITHOMME.COM
EDITIONS-LAGRIFFE.COM

Imprimé en Chine

09-15

© 2015, Les Éditions de l'Homme,
division du Groupe Sogides inc.,
filiale de Québecor Média inc.
(Montréal, Québec)

Tous droits réservés

Dépôt légal : 2015
Bibliothèque et Archives nationales du Québec

ISBN 978-2-7619-3857-0

Gouvernement du Québec – Programme de crédit
d'impôt pour l'édition de livres – Gestion SODEC –
www.sodec.gouv.qc.ca

L'Éditeur bénéficie du soutien de la Société de
développement des entreprises culturelles du Québec
pour son programme d'édition.

 Conseil des Arts **Canada Council**
du Canada **for the Arts**

Nous remercions le Conseil des Arts du Canada de
l'aide accordée à notre programme de publication.

Nous reconnaissons l'aide financière du gouvernement
du Canada par l'entremise du Fonds du livre du Canada
pour nos activités d'édition.

Table des matières

Tajine d'artichaut et d'écorce d'orange

PORTIONS: 4   **PRÉPARATION:** 20 min   **CUISSON:** 30 min

2 c. à soupe d'huile d'olive extra vierge

1 oignon, en dés

1 gousse d'ail, écrasée

8 fonds d'artichaut surgelés

la pelure de 1 orange, coupée en fins bâtonnets

½ c. à café de gingembre moulu

½ c. à café de cannelle moulue

1 c. à soupe de graines de cumin

375 ml (1 ½ tasse) de bouillon de légumes

250 ml (1 tasse) de jus d'orange

8 olives, dénoyautées

2 c. à soupe d'amandes mondées

2 c. à soupe de raisins secs

2 c. à soupe de feuilles de coriandre, hachées

Sel et poivre

Préchauffer le four à 180 °C (350 °F).

Dans une casserole, chauffer l'huile d'olive et faire revenir l'oignon et l'ail 3 minutes à feu moyen. Ajouter les fonds d'artichaut, les bâtonnets d'orange, le gingembre, la cannelle et les graines de cumin, et bien mélanger. Verser le bouillon de légumes et le jus d'orange, et porter à ébullition. Incorporer les olives, les amandes et les raisins secs.

Transférer dans un tajine. Ajouter la coriandre. Saler et poivrer au goût. Couvrir et cuire au four 25 minutes. Servir avec de la semoule de blé (couscous).

Tajine de carottes au basilic et aux amandes

PORTIONS : 4   **PRÉPARATION :** 15 min   **CUISSON :** 45 min

2 c. à soupe d'huile d'olive extra vierge

2 oignons, en quartiers

12 carottes moyennes, en tronçons

1 gousse d'ail, écrasée

2 tomates mûres, en dés

½ c. à café de cannelle moulue

1 c. à soupe de graines de cumin

375 ml (1 ½ tasse) de bouillon de légumes

250 ml (1 tasse) de jus de raisin

4 dattes, dénoyautées

1 c. à soupe de zeste d'orange

2 c. à soupe de raisins secs

2 c. à soupe d'amandes mondées

12 feuilles de basilic

Préchauffer le four à 180 °C (350 °F).

Dans une casserole, chauffer l'huile d'olive et faire revenir les oignons et les carottes 5 minutes à feu moyen. Ajouter l'ail, les tomates, la cannelle et les graines de cumin, et bien mélanger. Verser le bouillon de légumes et le jus de raisin, et porter à ébullition. Ajouter les dattes, le zeste d'orange et les raisins secs, baisser le feu et cuire 5 minutes.

Transférer dans un tajine. Ajouter les amandes et le basilic. Cuire au four 35 minutes. Servir avec de la semoule de blé (couscous).

Tajine de flageolets aux tomates

PORTIONS: 6   **PRÉPARATION:** 15 min   **CUISSON:** 1 h 10 min

2 c. à soupe d'huile de tournesol

2 oignons, hachés

400 g (2 tasses) de flageolets surgelés

1 litre (4 tasses) de bouillon de légumes

2 carottes moyennes, pelées et coupées en dés

1 gousse d'ail, écrasée

8 tomates mûres, en quartiers

½ c. à café de cannelle moulue

1 c. à café de curcuma

½ c. à café de graines de cumin

1 c. à café de piment séché, broyé

125 ml (½ tasse) de jus de pomme

2 c. à soupe de raisins secs

2 c. à soupe de persil, haché

Sel et poivre

Préchauffer le four à 180 °C (350 °F).

Dans une casserole, chauffer l'huile de tournesol et faire revenir les oignons et les flageolets 2 minutes à feu moyen. Verser le bouillon de légumes et cuire 20 minutes.

Ajouter les carottes, l'ail, les tomates, la cannelle, le curcuma, les graines de cumin et le piment. Verser le jus de pomme et porter à ébullition. Ajouter les raisins secs, baisser le feu et cuire 10 minutes.

Transférer dans un tajine. Saler et poivrer généreusement. Couvrir et cuire au four 35 minutes. Saupoudrer de persil et servir immédiatement.

NOTE: Ce tajine accompagne très bien le poulet rôti ou l'agneau.

Tajine de légumes à l'ail

PORTIONS: 4   **PRÉPARATION:** 15 min   **CUISSON:** 50 min

6 gousses d'ail, écrasées

1 c. à soupe de feuilles de coriandre, hachées

½ c. à café de cannelle moulue

1 c. à soupe de gingembre frais, râpé

1 c. à café de ras-el-hanout (mélange d'épices à couscous)

1 c. à soupe de graines de cumin

3 c. à soupe d'huile d'olive extra vierge

2 oignons, en quartiers

2 poivrons verts, en quartiers

2 aubergines, en cubes

2 courgettes moyennes, en tronçons

2 patates douces, en gros dés

2 tomates mûres, en dés

4 abricots secs

500 ml (2 tasses) de bouillon de légumes

1 citron confit, en quartiers

Sel et poivre

Préchauffer le four à 180 °C (350 °F).

Dans un bol, mélanger l'ail, la coriandre, la cannelle, le gingembre, le ras-el-hanout, les graines de cumin et une pincée de sel et de poivre. Réserver.

Dans une grande casserole, chauffer l'huile d'olive et faire sauter les oignons, les poivrons et les aubergines 4 minutes à feu moyen. Ajouter les courgettes, les patates douces et les tomates, et faire revenir 3 minutes. Ajouter les épices réservées et les abricots secs, et mélanger. Verser le bouillon de légumes et cuire à feu moyen 10 minutes. Saler et poivrer au goût.

Transférer dans un tajine. Ajouter le citron confit, couvrir et cuire au four 30 minutes. Servir immédiatement.

Tajine de légumes aux fruits d'automne

PORTIONS: 4   **PRÉPARATION:** 25 min   **CUISSON:** 50 min

2 c. à soupe d'huile d'olive extra vierge

1 gros oignon, en quartiers

4 carottes, en tronçons

8 pommes de terre rattes

1 panais, en dés

½ c. à café de cannelle moulue

1 c. à café de curcuma

1 c. à café de ras-el-hanout (mélange d'épices à couscous)

750 ml (3 tasses) de bouillon de volaille

2 gousses d'ail, écrasées

3 pommes, pelées, en quartiers

2 poires, pelées, en quartiers

6 pruneaux

6 dattes, dénoyautées

6 abricots secs

125 ml (½ tasse) de jus de raisin

2 c. à soupe de beurre

Sel et poivre

Préchauffer le four à 180 °C (350 °F).

Dans une grande casserole, chauffer l'huile d'olive et faire sauter l'oignon 2 minutes à feu moyen. Ajouter les carottes et faire revenir 2 minutes. Incorporer les pommes de terre, le panais, la cannelle, le curcuma et le ras-el-hanout, et faire revenir 3 minutes. Verser le bouillon de volaille et cuire 7 minutes.

Ajouter l'ail, les pommes, les poires, les pruneaux, les dattes, les abricots secs et le jus de raisin, et porter à ébullition.

Transférer dans un tajine. Saler et poivrer légèrement. Couvrir et cuire au four 30 minutes. Parsemer de dés de beurre et servir.

Tajine de légumes du soleil

PORTIONS: 6   **PRÉPARATION:** 15 min   **CUISSON:** 50 min

1 c. à soupe de sucre

1 c. à soupe de graines de coriandre, légèrement pilées

1 c. à soupe de graines de cumin

1 c. à café de curcuma

1 petit piment séché, broyé

½ c. à café de gingembre moulu

½ c. à café de cannelle moulue

60 ml (¼ tasse) d'huile d'olive extra vierge

3 oignons rouges, en gros dés

3 poivrons rouges, en lanières

2 aubergines, en cubes

2 courgettes moyennes, en tronçons

1 bulbe de fenouil, haché

4 tomates mûres, en dés

1 gousse d'ail

4 c. à soupe de raisins secs

500 ml (2 tasses) de bouillon de légumes

1 citron, en quartiers

2 c. à soupe de coriandre fraîche, hachée

Sel et poivre

Préchauffer le four à 180 °C (350 °F).

Dans un bol, mélanger le sucre, les graines de coriandre et de cumin, le curcuma, le piment, le gingembre, la cannelle, une pincée de sel et de poivre. Réserver.

Dans une grande casserole, chauffer l'huile d'olive et faire sauter les oignons, les poivrons et les aubergines 5 minutes à feu moyen. Ajouter les courgettes, le fenouil, les tomates et l'ail, et faire revenir 2 minutes. Incorporer le mélange d'épices réservé et les raisins secs. Verser le bouillon de légumes et cuire à feu moyen 10 minutes. Saler et poivrer, au goût.

Transférer dans un tajine. Ajouter les quartiers de citron, couvrir et cuire au four 30 minutes. Garnir les légumes de coriandre et servir.

Tajine de lentilles et de rutabaga

PORTIONS: 6   **PRÉPARATION:** 15 min   **CUISSON:** 1 h

2 c. à soupe d'huile d'olive extra vierge

2 oignons, en rondelles

2 rutabagas, pelés et coupés en gros dés

450 g (2 ½ tasses) de lentilles vertes, rincées

1 litre (4 tasses) de bouillon de légumes

1 carotte, en dés

1 gousse d'ail, écrasée

2 tomates mûres, en dés

½ c. à café de cannelle moulue

1 c. à café de curcuma

1 c. à café de ras-el-hanout (mélange d'épices à couscous)

1 pincée de safran

2 c. à soupe de raisins secs

2 c. à soupe de persil haché

Sel et poivre

Préchauffer le four à 180 °C (350 °F).

Dans une grande casserole, chauffer l'huile d'olive et faire revenir les oignons 2 minutes à feu moyen. Ajouter les rutabagas et faire revenir 4 minutes. Incorporer les lentilles et le bouillon de légumes, et cuire 15 minutes.

Ajouter la carotte, l'ail, les tomates, la cannelle, le curcuma, le ras-el-hanout et le safran, et porter à ébullition. Incorporer les raisins secs, baisser le feu et cuire 4 minutes.

Transférer dans un tajine. Poivrer généreusement. Couvrir et cuire au four 35 minutes. Saler au goût, parsemer de persil et servir.

NOTE: Il faut saler à la toute fin, car le sel, durant la cuisson, fait durcir les lentilles.

Tajine d'agneau aux amandes et aux pruneaux

PORTIONS: 4 **PRÉPARATION:** 20 min **CUISSON:** 1 h 45 min

4 gousses d'ail, écrasées

1 c. à café de cannelle moulue

1 c. à café de graines de cumin

1 c. à café de graines de coriandre

1 c. à café de piment fort séché

1 c. à café de sel

1 c. à café de poivre

900 g (2 lb) d'épaule d'agneau, en cubes

2 c. à soupe d'huile d'olive extra vierge

2 oignons, en quartiers

2 citrons confits, en quartiers

750 ml (3 tasses) de bouillon de bœuf

18 pruneaux

4 c. à soupe d'amandes mondées

6 branches de coriandre, hachées

6 feuilles de menthe, hachées

Préchauffer le four à 180 °C (350 °F).

Dans un grand bol, mélanger l'ail, la cannelle, les graines de cumin et de coriandre, le piment fort, le sel et le poivre. Ajouter les cubes d'agneau et mélanger pour bien les enrober d'épices. Réserver.

Dans une grande casserole, chauffer l'huile d'olive et faire revenir les oignons et les citrons confits 3 minutes à feu moyen. Ajouter les cubes d'agneau et les faire dorer de tous côtés 7 minutes. Verser le bouillon de bœuf et porter à ébullition. Ajouter les pruneaux, baisser le feu et cuire 5 minutes.

Transférer dans un tajine. Ajouter les amandes, la coriandre et la menthe. Cuire au four 1 heure 30 minutes ou jusqu'à ce que la viande soit très tendre. Servir immédiatement.

Tajine d'agneau aux courgettes et à la courge musquée

PORTIONS: 4 **PRÉPARATION:** 20 min **CUISSON:** 55 min

1 gousse d'ail, écrasée

2 c. à café de cannelle moulue

1 c. à café de graines de cumin

1 c. à café de gingembre moulu

1 pincée de safran

1 pincée de sel

1 c. à café de poivre noir moulu

1 c. à soupe de cassonade

8 côtes d'agneau épaisses

2 c. à soupe d'huile d'olive extra vierge

2 courgettes, en tronçons

1 courge musquée, pelée et coupée en gros cubes

8 abricots secs

4 dattes, dénoyautées

4 pruneaux

125 ml (½ tasse) de jus de pomme

250 ml (1 tasse) de bouillon de légumes

Préchauffer le four à 190 °C (375 °F).

Dans un grand bol, mélanger l'ail, la cannelle, les graines de cumin, le gingembre, le safran, le sel, le poivre et la cassonade. Frotter les côtes d'agneau du mélange d'épices.

Dans un grand poêlon, à feu vif, chauffer l'huile d'olive et faire sauter les côtes d'agneau 3 minutes de chaque côté. Transférer dans un tajine.

Dans le même poêlon, ajouter les courgettes, les cubes de courge, les abricots, les dattes et les pruneaux. Verser le jus de pomme et le bouillon de légumes, puis porter à ébullition.

Transférer dans le tajine. Couvrir et cuire au four 45 minutes. Servir immédiatement.

Tajine d'agneau aux tomates piquantes

PORTIONS: 6   **PRÉPARATION:** 15 min   **RÉFRIGÉRATION:** 8 h   **CUISSON:** 1 h 50

3 gousses d'ail, écrasées

1 c. à café de cannelle moulue

1 c. à soupe de graines de cumin

½ c. à café de safran

2 c. à soupe de sauce harissa
(pâte de piment)

1 c. à café de sel

1 kg (2 lb) de gigot d'agneau,
en cubes

4 c. à soupe d'huile d'olive extra
vierge

2 oignons, en quartiers

1 litre (4 tasses) de tomates en dés
en conserve

4 dattes, dénoyautées

1 c. à soupe de zeste de citron

4 c. à soupe de raisins secs

1 c. à soupe de graines de sésame

Préchauffer le four à 180 °C (350 °F).

Dans un grand bol, mélanger l'ail, la cannelle, le cumin,
le safran, la sauce harissa et le sel. Ajouter les cubes
d'agneau et mélanger pour bien les enrober d'épices.
Arroser de 3 c. à soupe d'huile d'olive et mélanger. Couvrir
et réfrigérer 8 heures.

Dans une grande casserole, chauffer le reste de l'huile
d'olive et faire revenir les oignons 3 minutes à feu moyen.
Ajouter les cubes d'agneau et les faire dorer de tous côtés
environ 7 minutes. Ajouter les tomates et leur jus, et
porter à ébullition. Ajouter les dattes, le zeste de citron et
les raisins secs, baisser le feu et cuire 10 minutes.

Transférer dans un tajine. Couvrir et cuire au four
1 heure 30 minutes. Parsemer de graines de sésame et
servir.

Tajine de bœuf aux légumes

PORTIONS: 4   **PRÉPARATION:** 20 min   **CUISSON:** 2 h 15

3 grosses tomates fermes,
  en quartiers

4 carottes, en tronçons

2 petits navets, coupés en 2

3 petites aubergines, en tranches
  épaisses

3 poireaux, en tronçons

3 gousses d'ail, hachées

2 bâtons de cannelle

2 c. à soupe de gingembre moulu

1 c. à café de cumin moulu

3 c. à soupe de cassonade

1 kg (2 lb) de bœuf à braiser,
  en cubes

2 c. à soupe de farine tout usage

5 c. à soupe d'huile d'olive extra
  vierge

500 ml (2 tasses) de bouillon
  de légumes

2 c. à soupe de coriandre hachée

2 c. à soupe de persil haché

Sel et poivre

Préchauffer le four à 180 °C (350 °F).

Dans un bol, mélanger les tomates, les carottes, les
navets, les aubergines, les poireaux, l'ail, la cannelle, le
gingembre, le cumin et la cassonade. Réserver.

Dans un bol, rouler les cubes de bœuf dans la farine et
secouer pour retirer l'excédent.

Dans une casserole, chauffer l'huile d'olive à feu moyen
et faire sauter les cubes de bœuf de tous côtés environ
10 minutes, jusqu'à ce qu'ils soient colorés. Verser le
bouillon de légumes, porter à ébullition et cuire 5 minutes.

Transférer dans un tajine. Ajouter le mélange de légumes.
Saler et poivrer légèrement. Couvrir et cuire au four
2 heures. Goûter, saler et poivrer, au besoin. Garnir de
coriandre et de persil. Servir immédiatement, accompagné
de semoule de blé (couscous).

Tajine de bœuf aux olives et au citron

PORTIONS: 4   **PRÉPARATION:** 20 min   **CUISSON:** 2 h 40

1 kg (2 lb) de cubes de bœuf

2 c. à soupe de farine tout usage

2 c. à soupe d'huile d'olive extra vierge

1 gros oignon, en gros dés

3 gousses d'ail, écrasées

2 citrons, en quartiers

3 c. à café de ras-el-hanout (mélange d'épices à couscous)

1 c. à café de graines de cumin

2 c. à café de paprika

1 c. à soupe de gingembre frais râpé

500 ml (2 tasses) de bouillon de bœuf

225 g (1 tasse) de grosses olives, vertes et noires

2 c. à soupe de miel

2 c. à soupe de coriandre hachée

Préchauffer le four à 180 °C (350 °F).

Dans un bol, rouler les cubes de bœuf dans la farine et secouer pour retirer l'excédent.

Dans un poêlon, chauffer l'huile d'olive à feu moyen et faire sauter les cubes de bœuf de tous les côtés environ 10 minutes, jusqu'à ce qu'ils soient colorés.

Transférer dans un tajine. Ajouter l'oignon, l'ail, les citrons, le ras-el-hanout, les graines de cumin, le paprika, le gingembre et le bouillon de bœuf. Couvrir et cuire au four 1 heure.

Ajouter les olives et le miel. Saupoudrer de coriandre. Couvrir et cuire 1 heure 30 minutes. Servir immédiatement.

Tajine de jarrets de veau aux fruits secs et à l'orange

PORTIONS: 4   **PRÉPARATION:** 20 min   **CUISSON:** 1 h 45 min

½ c. à café de safran

1 c. à café de curcuma

½ c. à café de gingembre moulu

2 c. à soupe de farine tout usage

1 c. à café de paprika

4 jarrets de veau

2 c. à soupe d'huile d'olive extra vierge

2 oignons, en dés

125 ml (½ tasse) de jus d'orange

1 bâton de cannelle

125 g (¾ tasse) de raisins secs

8 dattes, dénoyautées

2 c. à soupe de miel

750 ml (3 tasses) de bouillon de bœuf

3 oranges, pelées à vif et séparées en suprêmes

125 g (1 tasse) de noix de cajou

Sel et poivre

Préchauffer le four à 190 °C (375 °F).

Dans un bol, mélanger le safran, le curcuma et le gingembre. Réserver.

Dans un grand bol, mélanger la farine, le paprika, une pincée de sel et de poivre. Rouler les jarrets de veau dans la farine assaisonnée et secouer pour en retirer l'excédent.

Dans une casserole, chauffer l'huile d'olive et faire revenir les oignons 2 minutes à feu moyen. Ajouter les jarrets de veau et faire revenir, à feu vif, 3 minutes de chaque côté. Verser le jus d'orange et porter à ébullition. Ajouter les épices mélangées, le bâton de cannelle, les raisins secs, les dattes et le miel. Verser le bouillon de bœuf et cuire 10 minutes, en retournant souvent les jarrets.

Transférer dans un tajine. Ajouter les suprêmes d'orange et les noix de cajou. Couvrir et cuire au four 1 heure 30 minutes. Retirer le bâton de cannelle et servir immédiatement.

Tajine de merguez aux patates douces

PORTIONS : 6   **PRÉPARATION :** 20 min   **CUISSON :** 1 h

2 c. à soupe d'huile d'olive extra vierge

12 saucisses merguez

2 gros oignons, en rondelles

2 gousses d'ail, écrasées

500 ml (2 tasses) de tomates en dés en conserve

2 c. à café de graines de cumin

½ c. à café de safran

1 c. à soupe de sauce harissa (pâte de piment)

1 c. à café de cannelle moulue

110 g (¾ tasse) d'amandes blanchies

4 patates douces moyennes, pelées et coupées en quartiers

1 c. à soupe de cassonade

Préchauffer le four à 180 °C (350 °F).

Dans un poêlon, à feu moyen, chauffer l'huile d'olive et faire sauter les merguez environ 10 minutes ou jusqu'à ce qu'elles soient dorées de tous côtés. Transférer dans un tajine.

Dans le même poêlon, cuire les oignons, l'ail et les tomates 8 minutes. Ajouter les graines de cumin, le safran, la sauce harissa et la cannelle.

Transférer dans le tajine. Ajouter les amandes et les patates douces. Saupoudrer de cassonade. Couvrir et cuire au four 40 minutes. Servir immédiatement.

Tajine de porc aux raisins

PORTIONS: 6   **PRÉPARATION:** 20 min   **CUISSON:** 1 h 20

2 c. à soupe d'huile d'olive extra vierge

900 g (2 lb) de filet de porc, en tranches épaisses

2 oignons, en dés

2 gousses d'ail entières

3 carottes, en dés

500 ml (2 tasses) de bouillon de légumes

2 c. à soupe de miel

250 ml (1 tasse) de jus de raisin

225 g (1 ⅓ tasse) de raisins secs

450 g (1 lb) de raisins rouges frais

1 c. à café de gingembre moulu

2 c. à café de graines de cumin

½ c. à café de safran

1 c. à café de poivre moulu

Sel et poivre

Préchauffer le four à 180 °C (350 °F).

Dans un poêlon, chauffer l'huile d'olive à feu moyen et faire sauter les tranches de filet de porc de chaque côté, environ 10 minutes, jusqu'à ce qu'elles soient colorées. Saler et poivrer légèrement. Transférer dans un tajine.

Dans la même casserole, faire revenir les oignons, l'ail et les carottes 3 minutes. Verser le bouillon de légumes, le miel et le jus de raisin. Porter à ébullition et cuire 5 minutes. Ajouter les raisins secs, les raisins rouges, le gingembre, les graines de cumin, le safran et le poivre.

Transférer dans le tajine. Couvrir et cuire au four 1 heure. Servir immédiatement.

Tajine d'ailes de poulet aux dattes et aux noix

PORTIONS: 4   **PRÉPARATION:** 20 min   **CUISSON:** 45 min

2 c. à soupe de beurre

20 ailes de poulet

1 gros oignon, haché

3 gousses d'ail, hachées

1 c. à café de gingembre moulu

½ c. à café de safran

1 c. à café de cannelle moulue

1 litre (4 tasses) de bouillon
de volaille

450 g (2 tasses) de dattes,
dénoyautées

200 g (2 tasses) de noix
de Grenoble entières

200 g (1 ¼ tasse) de noisettes
entières

3 c. à soupe de miel

Sel et poivre

Dans une casserole à feu vif, fondre le beurre et faire revenir les ailes de poulet 5 minutes, en les retournant souvent. Ajouter l'oignon, l'ail, le gingembre, le safran et la cannelle. Saler et poivrer généreusement. Verser le bouillon de volaille, porter à ébullition et cuire 10 minutes. Transférer dans un tajine.

Dans la même casserole, mélanger les dattes, les noix, les noisettes et le miel, et laisser mijoter 5 minutes. Verser dans le tajine. Couvrir et cuire au four 25 minutes.

NOTE: Pour une réception, les ailes de poulet peuvent être remplacées par 8 cailles coupées en 2. Le temps de cuisson est le même pour les cailles et les ailes de poulet.

Tajine de canard aux abricots et à l'ail

PORTIONS : 4   **PRÉPARATION :** 25 min   **CUISSON :** 1 h 20

2 c. à soupe de graisse de canard

2 oignons, hachés

4 gousses d'ail, hachées

4 cuisses de canard

500 ml (2 tasses) de bouillon de volaille

4 branches de thym

1 feuille de laurier

4 dattes, dénoyautées

6 abricots secs

½ c. à café de cannelle moulue

2 c. à café de ras-el-hanout (mélange d'épices à couscous)

½ c. à café de cumin moulu

2 c. à soupe de confiture d'abricots

1 c. à soupe d'eau de fleur d'oranger

6 abricots frais, en moitiés

Sel et poivre

Préchauffer le four à 180 °C (350 °F).

Dans une casserole, à feu moyen, faire fondre la graisse de canard et faire revenir les oignons, l'ail et les cuisses de canard jusqu'à ce qu'elles soient légèrement dorées de tous côtés. Saler et poivrer légèrement. Verser le bouillon de volaille et porter à ébullition. Ajouter le thym, le laurier, les dattes, les abricots secs, la cannelle, le ras-el-hanout et le cumin, et laisser mijoter 10 minutes.

Transférer dans un tajine. Ajouter la confiture d'abricots, l'eau de fleur d'oranger et les abricots frais. Couvrir et cuire au four 1 heure ou jusqu'à ce que les cuisses de canard soient tendres sous la pointe d'un couteau. Servir immédiatement.

Tajine de dinde aux aubergines

PORTIONS : 4   **PRÉPARATION :** 25 min   **CUISSON :** 2 h 20 min

4 c. à soupe d'huile d'olive extra
vierge

1 oignon, en quartiers

2 gousses d'ail, écrasées

3 cuisses de dinde, coupées en 2

1 litre (4 tasses) de bouillon
de volaille

1 citron, en quartiers

8 petites aubergines, en tranches
épaisses

1 poivron vert, en dés

2 tomates, en quartiers

2 c. à soupe de ras-el-hanout
(mélange d'épices à couscous)

1 c. à café de cannelle moulue

2 c. à soupe de sucre

2 c. à soupe de persil haché

3 c. à soupe de coriandre hachée

Sel et poivre

Préchauffer le four à 180 °C (350 °F).

Dans une casserole, à feu moyen, chauffer 2 c. à soupe d'huile d'olive et faire sauter l'oignon, l'ail et les cuisses de dinde environ 15 minutes, jusqu'à ce que les morceaux de dinde soient légèrement dorés de tous côtés. Saler et poivrer légèrement. Verser le bouillon de volaille et porter à ébullition. Ajouter le citron, baisser le feu et laisser mijoter 20 minutes à feu moyen.

Dans un grand poêlon à feu vif, chauffer le reste de l'huile d'olive et faire griller les tranches d'aubergine des deux côtés. Ajouter le poivron, les tomates, le ras-el-hanout, la cannelle, le sucre et le persil, et laisser mijoter à feu doux 5 minutes, en remuant.

Transférer la dinde et les aubergines dans un tajine. Couvrir et cuire au four 1 heure 30 minutes. Garnir de coriandre et servir immédiatement.

Tajine de dinde aux pistaches

PORTIONS: 6   **PRÉPARATION:** 20 min   **CUISSON:** 55 min

2 c. à soupe d'huile d'olive extra vierge

3 oignons, émincés

2 c. à café de cumin moulu

2 c. à café de gingembre moulu

½ c. à café de cannelle moulue

1 c. à café de curcuma

1 c. à café de paprika

1,5 kg (3 lb) de poitrine de dinde, cuite et coupée en dés

500 ml (2 tasses) de bouillon de poulet

225 g (1 ⅔ tasse) de pistaches, décortiquées

3 c. à soupe de raisins blonds secs

2 c. à soupe de menthe hachée

Sel et poivre

Préchauffer le four à 180 °C (350 °F).

Dans une grande casserole, chauffer l'huile d'olive et, à feu moyen, faire revenir les oignons 5 minutes. Incorporer le cumin, le gingembre, la cannelle, le curcuma et le paprika. Ajouter les dés de dinde et mélanger. Saler et poivrer légèrement. Verser le bouillon de poulet et porter à ébullition. Laisser mijoter 10 minutes.

Transférer dans un tajine. Ajouter les pistaches, les raisins et la menthe. Couvrir et cuire au four 40 minutes. Servir immédiatement.

Tajine de poulet aux canneberges

PORTIONS: 6   **PRÉPARATION:** 30 min   **CUISSON:** 1 h 40 min

2 c. à soupe d'huile d'olive extra vierge

2 gros oignons, en quartiers

1 gousse d'ail, écrasée

6 cuisses de poulet

1 litre (4 tasses) de bouillon de poulet

3 c. à café de ras-el-hanout (mélange d'épices à couscous)

1 c. à café de gingembre moulu

1 c. à café de curcuma

1 c. à café de poivre noir moulu

1 bâton de cannelle

440 g (2 tasses) de canneberges surgelées

2 c. à soupe de coriandre hachée

Sel et poivre

Préchauffer le four à 180 °C (350 °F).

Dans une casserole, à feu moyen, chauffer l'huile d'olive et faire sauter les oignons, l'ail et les cuisses de poulet environ 10 minutes, jusqu'à ce que le poulet soit légèrement doré de tous côtés. Saler et poivrer légèrement. Verser le bouillon de poulet et porter à ébullition. Ajouter le ras-el-hanout, le gingembre, le curcuma, le poivre noir et le bâton de cannelle, et laisser mijoter 20 minutes. Retirer le bâton de cannelle.

Transférer dans un tajine. Ajouter les canneberges. Couvrir et cuire au four 1 heure. Garnir de coriandre et servir immédiatement.

Tajine de poulet aux citrons confits

PORTIONS: 6 **PRÉPARATION:** 30 min **CUISSON:** 1 h 40

2 c. à soupe d'huile d'olive extra vierge

2 gros oignons, en quartiers

3 gousses d'ail, écrasées

6 cuisses de poulet, coupées en 2

1 litre (4 tasses) de bouillon de poulet

1 c. à café de safran

1 c. à café de gingembre moulu

1 c. à café de curcuma

1 c. à café de muscade moulue

1 piment fort, haché

3 citrons confits, rincés à l'eau froide et coupés en tranches épaisses

1 bâton de cannelle

Sel et poivre

Préchauffer le four à 180 °C (350 °F).

Dans une casserole, à feu moyen, chauffer l'huile d'olive et faire sauter les oignons, l'ail et les morceaux de poulet environ 15 minutes, jusqu'à ce que le poulet soit légèrement doré de tous côtés. Verser le bouillon de poulet et porter à ébullition. Ajouter le safran, le gingembre, le curcuma, la muscade et le piment fort, et laisser mijoter 15 minutes. Saler et poivrer.

Transférer dans un tajine. Ajouter les citrons confits et le bâton de cannelle. Couvrir et cuire au four 1 heure. Servir immédiatement.

Tajine de poulet façon méditerranéenne

PORTIONS: 6   **PRÉPARATION:** 25 min   **CUISSON:** 1 h 50

2 c. à soupe d'huile de tournesol

2 petits poulets, coupés en 4

2 c. à café de gingembre moulu

1 c. à café de curcuma

1 c. à café de muscade moulue

2 bâtons de cannelle

2 oignons, en dés

2 poivrons rouges, en gros
   morceaux

2 poivrons jaunes, en gros
   morceaux

4 tomates moyennes, en quartiers

4 gousses d'ail, écrasées

1 c. à café de zeste de citron

500 ml (2 tasses) de bouillon
   de poulet

250 ml (1 tasse) de jus de tomate

3 branches de thym frais, haché

360 g (2 tasses) d'olives noires

2 c. à soupe de persil haché

Sel et poivre

Préchauffer le four à 180 °C (350 °F).

Dans une casserole, chauffer l'huile de tournesol et, à feu moyen, faire revenir les morceaux de poulet 10 minutes en les tournant régulièrement. Saler et poivrer légèrement. Ajouter le gingembre, le curcuma, la muscade, les bâtons de cannelle, les oignons et les poivrons, et faire revenir 3 minutes. Ajouter les tomates, l'ail, le zeste de citron et le bouillon de poulet, et porter à ébullition. Incorporer le jus de tomate et laisser bouillir 2 minutes.

Transférer dans un tajine. Ajouter le thym et les olives. Couvrir et cuire au four 1 heure 30 minutes. Garnir de persil et servir immédiatement.

Tajine de poulet au fenouil, à l'orange et aux olives

PORTIONS: 6 **PRÉPARATION:** 20 min **CUISSON:** 1 h 20 min

1 c. à café de graines de coriandre, moulues

1 c. à café de graines de cumin

1 c. à soupe de ras-el-hanout (mélange d'épices à couscous)

1 c. à café de sel

½ c. à café de poivre noir moulu

1 gros poulet, découpé en morceaux

2 c. à soupe d'huile d'olive extra vierge

2 gros oignons, en rondelles

500 ml (2 tasses) de tomates concassées, en conserve

1 bâton de cannelle

12 dattes, dénoyautées

1 c. à soupe de zeste d'orange

2 c. à soupe de coriandre hachée

240 g (1 ¾ tasse) d'olives vertes, dénoyautées

2 bulbes de fenouil, en tranches épaisses

3 oranges, pelées et séparées en suprêmes

Préchauffer le four à 180 °C (350 °F).

Dans un grand bol, mélanger les graines de coriandre, les graines de cumin, le ras-el-hanout, le sel et le poivre. Ajouter les morceaux de poulet et mélanger pour bien les enrober d'épices.

Dans une casserole, à feu moyen, chauffer l'huile d'olive et faire sauter les oignons et les morceaux de poulet environ 15 minutes, jusqu'à ce que le poulet soit légèrement doré de tous côtés. Ajouter les tomates, le bâton de cannelle, les dattes, le zeste d'orange et la coriandre, et porter à ébullition.

Transférer dans un tajine. Ajouter les olives, le fenouil et les suprêmes d'orange. Couvrir et cuire au four 1 heure. Servir immédiatement.

Tajine d'aiglefin en ratatouille

PORTIONS : 4   **PRÉPARATION :** 25 min   **CUISSON :** 50 min

4 c. à soupe d'huile d'olive extra vierge

1 oignon moyen, haché

1 gousse d'ail, hachée

2 poivrons rouges, en dés

1 aubergine, en dés

2 courgettes, en dés

2 tomates, en dés

4 branches de thym

1 feuille de laurier

1 c. à café de curcuma

1 c. à café de cumin moulu

½ c. à café de gingembre moulu

4 filets d'aiglefin

2 c. à soupe de farine tout usage

1 citron, en tranches fines

3 oignons verts, en tranches

Sel et poivre

Préchauffer le four à 180 °C (350 °F).

Dans une grande casserole, chauffer 2 c. à soupe d'huile d'olive et, à feu moyen, faire sauter l'oignon et l'ail 4 minutes. Ajouter les poivrons, l'aubergine et les courgettes, et faire sauter 5 minutes. Incorporer les tomates, le thym, le laurier, le curcuma, le cumin et le gingembre, et cuire à feu doux 5 minutes. Transférer dans un tajine.

Passer les filets d'aiglefin dans la farine et secouer pour retirer l'excédent.

Dans un poêlon, à feu vif, chauffer le reste de l'huile d'olive et faire revenir les filets d'aiglefin 2 minutes de chaque côté. Saler et poivrer généreusement.

Transférer dans le tajine. Garnir de tranches de citron. Couvrir et cuire au four 30 minutes. Parsemer d'oignons verts et servir immédiatement.

Tajine de sardines aux légumes

PORTIONS: 4 **PRÉPARATION:** 35 min **CUISSON:** 45 min

4 c. à soupe de persil haché

3 c. à soupe de coriandre hachée

3 gousses d'ail, hachées

½ c. à café de sel

½ c. à café de poivre noir moulu

1 c. à café de paprika

2 c. à café de cumin moulu

½ c. à café de safran

2 c. à soupe de zeste de citron

3 c. à soupe de jus de citron

900 g (2 lb) de sardines fraîches, évidées

3 c. à soupe d'huile d'olive extra vierge

3 pommes de terre, en rondelles

2 carottes, en rondelles

1 bulbe de fenouil, en fines tranches

4 tomates, en tranches

1 feuille de laurier

250 ml (1 tasse) de bouillon de légumes

Préchauffer le four à 190 °C (375 °F).

Dans un bol, mélanger le persil, la coriandre, l'ail, le sel, le poivre, le paprika, le cumin, le safran, le zeste et le jus de citron. Farcir les sardines du mélange.

Dans un grand tajine, chauffer l'huile d'olive. Ajouter les pommes de terre et déposer les sardines par-dessus. Couvrir des carottes et du fenouil. Ajouter les tomates, la feuille de laurier et le bouillon de légumes. Couvrir et cuire au four 45 minutes. Servir immédiatement.

Tajine de saumon à la marocaine

PORTIONS: 6   **PRÉPARATION:** 20 min   **MACÉRATION:** 15 min   **CUISSON:** 35 min

2 c. à soupe d'huile d'olive extra vierge

60 ml (¼ tasse) de jus de citron

½ c. à café de sel

4 c. à soupe de persil frais haché

½ c. à café de cumin moulu

½ c. à café de poivre noir moulu

1 gousse d'ail, hachée

2 c. à café de ras-el-hanout (mélange d'épices à couscous)

6 filets de saumon avec la peau

2 c. à soupe de miel

2 c. à soupe de raisins secs

2 poivrons rouges, en tranches fines

2 tomates, en dés

125 ml (½ tasse) d'eau tiède

Préchauffer le four à 180 °C (350 °F).

Dans un grand bol, mélanger l'huile d'olive, le jus de citron, le sel, le persil, le cumin, le poivre, l'ail et le ras-el-hanout. Ajouter le saumon, bien le retourner dans la marinade et laisser macérer 15 minutes. Retirer le saumon du bol, tout en réservant la marinade.

Placer le saumon, côté peau vers le bas, dans un tajine. Arroser de miel. Disposer les raisins secs, les poivrons et les tomates autour du saumon et les arroser de la marinade. Ajouter l'eau tiède. Couvrir et cuire au four 35 minutes. Servir immédiatement.

Tajine de calmars épicés

PORTIONS: 4   **PRÉPARATION:** 35 min   **CUISSON:** 25 min

3 c. à. soupe d'huile d'olive extra vierge

900 g (2 lb) de calmars, en rondelles

2 gousses d'ail, écrasées

1 c. à café de gingembre moulu

½ c. à café de safran

1 c. à café de cumin moulu

2 petits piments forts, hachés

500 ml (2 tasses) de tomates en dés en conserve

1 c. à soupe de coriandre, hachée

1 c. à café de persil haché

Sel

Préchauffer le four à 180 °C (350 °F).

Dans une casserole, chauffer l'huile d'olive et, à feu moyen, faire revenir les calmars, l'ail, le gingembre, le safran, le cumin et les piments forts 3 minutes. Saler légèrement. Ajouter les tomates, la coriandre et le persil, mélanger et porter à ébullition.

Transférer dans un tajine. Couvrir et cuire au four 20 minutes. Servir immédiatement.

Tajine de crevettes à la coriandre

PORTIONS: 4   **PRÉPARATION:** 15 min   **CUISSON:** 30 min

2 c. à soupe d'huile d'olive extra vierge

2 gros oignons, hachés

3 gousses d'ail, hachées

1 poivron vert, en dés

20 grosses crevettes, crues

1 c. à café de safran

1 c. à café de ras-el-hanout (mélange d'épices à couscous)

1 c. à café de graines de coriandre

250 ml (1 tasse) de coulis de tomate

3 c. à soupe de coriandre hachée

1 c. à café de piment doux moulu

1 citron vert, en quartiers

Sel et poivre

Préchauffer le four à 180 °C (350 °F).

Dans une casserole, chauffer l'huile d'olive et, à feu moyen, faire sauter les oignons, l'ail et le poivron 5 minutes. Ajouter les crevettes et faire sauter jusqu'à ce qu'elles commencent à devenir roses. Saler et poivrer légèrement. Ajouter le safran, le ras-el-hanout et les graines de coriandre, et mélanger. Ajouter le coulis de tomate, la coriandre et le piment, et porter à ébullition.

Transférer dans un tajine. Couvrir et cuire au four 20 minutes. Garnir de quartiers de citron vert et servir immédiatement.

Tajine de crevettes au persil et au citron

PORTIONS: 4   **PRÉPARATION:** 25 min   **MACÉRATION:** 15 min   **CUISSON:** 20 min

1 c. à soupe de sucre

1 c. à café de graines de cumin

½ c. à café de graines de coriandre

1 c. à café de poudre de cari

½ c. à café de curcuma

½ c. à café de piment rouge fort, séché

2 c. à soupe d'huile d'olive extra vierge

2 c. à soupe de jus de citron

900 g (2 lb) de crevettes moyennes, crues

2 oignons rouges, émincés

1 gousse d'ail, écrasée

2 citrons confits, en quartiers

1 bouquet de persil, haché

1 c. à café de zeste de citron

Sel et poivre

Au moulin à café, mélanger le sucre, les graines de cumin et de coriandre, le cari, le curcuma et le piment. Verser dans un grand bol, ajouter l'huile d'olive et le jus de citron, et mélanger. Ajouter les crevettes, bien mélanger et laisser macérer 15 minutes.

Préchauffer le four à 180 °C (350 °F).

Chauffer un grand poêlon à feu vif et y faire sauter à feu moyen les crevettes et leur marinade 2 minutes. Ajouter les oignons rouges, l'ail et les citrons confits. Mélanger et cuire 3 minutes. Saler et poivrer légèrement.

Transférer dans un tajine. Ajouter le persil et mélanger. Couvrir et cuire au four 15 minutes. Saupoudrer de zeste de citron et servir immédiatement.

NOTE : Pour une occasion spéciale, remplacer les crevettes par des écrevisses ou des langoustines. Dans tous les cas, les temps de cuisson sont les mêmes.

Tajine de fruits de mer à la tomate, à l'aubergine et aux pois chiches

PORTIONS: 4   **PRÉPARATION:** 20 min   **CUISSON:** 30 min

6 c. à soupe d'huile d'olive extra vierge

1 grosse aubergine, en petits dés

250 ml (1 tasse) de pois chiches, en conserve, rincés et égouttés

225 g (½ lb) de calmars

12 moules

4 tomates moyennes, en dés

1 gousse d'ail, hachée

1 c. à soupe de ras-el-hanout (mélange d'épices à couscous)

1 c. à soupe de gingembre frais, râpé

250 ml (1 tasse) de bouillon de légumes

450 g (1 lb) de crevettes nordiques

1 c. à soupe de coriandre hachée finement

Sel

Préchauffer le four à 190 °C (375 °F).

Dans un poêlon, à feu vif, chauffer 3 c. à soupe d'huile d'olive et faire dorer les dés d'aubergine 5 minutes, en remuant. Saler généreusement. Transférer dans un tajine. Ajouter les pois chiches égouttés et mélanger.

Dans une casserole, chauffer le reste de l'huile d'olive et, à feu moyen, faire revenir les calmars et les moules 4 minutes, en secouant souvent la casserole. Ajouter les tomates, l'ail, le ras-el-hanout, le gingembre et le bouillon de légumes. Porter à ébullition.

Transférer dans le tajine. Ajouter les crevettes nordiques. Couvrir et cuire au four 20 minutes. Garnir de coriandre et servir immédiatement.

Suivez-nous sur le Web

Consultez nos sites Internet et inscrivez-vous à l'infolettre pour rester informé en tout temps de nos publications et de nos concours en ligne. Et croisez aussi vos auteurs préférés et notre équipe sur nos blogues !

EDITIONS-HOMME.COM
EDITIONS-JOUR.COM
EDITIONS-PETITHOMME.COM
EDITIONS-LAGRIFFE.COM